Estimado lector,

Cada interacción con nuestros hijos nos hace recordar que están llenos de posibilidades. Cada conversación que tenemos es una ventana a su potencial, y nuestro trabajo es el de guiarlos por su propio camino hacia el éxito. Estos momentos juntos le dan forma a su crecimiento y renuevan nuestra propia creencia en el potencial que tenemos todos.

Sin embargo, no todos los niños tienen esta relación con un adulto atento, aunque sabemos que estas conexiones tempranas promueven el desarrollo de las habilidades sociales, emocionales y de alfabetización temprana que necesitan los niños para tener éxito en la escuela y en la vida. Aunque hay investigación abrumadora que demuestra que la alta calidad de las experiencias tempranas de aprendizaje es una manera de salir de la pobreza, un camino hacia un futuro lleno de oportunidades, y una forma conocida de disuasión contra el crimen y el uso de drogas, más de un tercio de niños jóvenes todavia entrará al kinder este año sin las habilidades de lectura y de lengua necesarios para tener éxito en la escuela. Cuando nos di cuenta del esfuerzo de Jumpstart para tratar este problema, decidimos actuar.

Por favor, tomemos medidas para desarrollar el potencial de cada niño por medio de la campaña *Read for the Record* **de Jumpstart.**

A través de esta campaña Jumpstart está directamente educando a familias sobre los beneficios de leer con niños y apoyando el trabajo esencial de preparar a cada niño para el éxito.

El año pasado, más de 150,000 niños leyeron el libro oficial de la campaña con un adulto y fijamos un nuevo record mundial. Este año, estamos entusiasmados con la idea de batir el record, cuando leamos *El Cuento de Ferdinando*. Los niños estarán encantados de conocer a Ferdinando, un heroe simple que rompe con lo que los de su alrededor esperan de el para forjar su propio camino.

Al participar en esta campaña, ayudará a que otros sepan de la importancia de la educación temprana, fortalecer una conexión con un niño jóven en su vida, y ayudar a ampliar el programa de educación temprana de Jumpstart que conectan a niños preescolares de alto riesgo con mentores calificados y dedicados.

Lo invitamos a que comparta este libro inspirador y a ayudar a niños a que alcancen su potencial. Por favor lea *Read for the Record*—para si mismo, para su familia y su comunidad, y para los niños que Jumpstart tocará a lo largo y ancho de los Estados Unidos.

Atentamente,

Matt Lauer   Meredith Vieira

i

LA HISTORIA DE JUMPSTART

Gracias por comprar esta edición limitada de *El Cuento de Ferdinando* y por participar en la campaña *Read for the Record* de Jumpstart.

En Jumpstart, creemos que cada niño entra al mundo con potencial y que merece los recursos y la ayuda necesaria para tener éxito en la escuela y en la vida.

Que conste . . . Demasiados niños entran a la escuela sin estar preparados para aprender

Hoy en los Estados Unidos, hasta un 35 por ciento de los niños entran a nuestras escuelas sin las habilidades necesarias para tener éxito.[1] En las comunidades de bajos ingresos de nuestra nación, los niños de la edad de 5 años reciben tan poco como 25 horas de lectura individual, mientras que para esa edad a los niños de comunidades de ingreso medio, les han leido hasta 1,700 horas.[2] Los niños que reciben menos horas de lectura tienen más probabilidades de entrar al kinder con un cuarto del vocabulario de sus compañeros de ingreso medio.[3]

Que conste . . . Jumpstart ayuda a que los niños se desarrollen

Jumpstart es una organización nacional sin fines lucrativos que ha estado trabajando con comunidades de bajos ingresos desde 1993 para preparar a preescolares para el kinder—un niño a la vez. En 70 universidades de los Estados Unidos, 3,000 estudiantes universitarios trabajan uno-a-uno con los niños de Jumpstart, que están en riesgo de entrar al kinder menos preparados que sus compañeros. Juntos estos estudiantes universitarios dedicados están sirviendo a 12,000 niños preescolares en comunidades a través de los Estados Unidos.

Que conste . . . Usted puede ayudar

El año pasado más de 150,000 niños en todo el país participaron en la campaña *Read for the Record* de Jumpstart—al leer el mismo libro en el día escogido para fijar el record mundial, con un adulto en bibliotecas, salones de clase, hogares, tiendas y en grupos de padres. Necesitamos su ayuda para conectar aun más niños con adultos en las poderosas relaciones de aprendizaje que modelan el trabajo de Jumpstart todos los días en salones de clases.

Y, con sólo comprar este libro usted estará apoyando el trabajo de Jumpstart en las comunidades de bajos ingresos, ya que 100% de los ingresos financian nuestro trabajo con los niños de alto-riesgo.

Participe en el Programa de Jumpstart

1 Lea: Prometa leer con un niño en su vida; Jumpstart recibe $1 de Hanna Andersson por cada persona que se registre.

2 Conéctese: Celebre la campaña *Read for the Record* de Jumpstart en su comunidad. Unase o forme un evento de lectura local.

3 Apoye: Done la edición limitada de encargo de Jumpstart de *El Cuento de Ferdinando* a un niño necesitado.

Para participar y para más información visite

www.readfortherecord.org

1. Landry, S. 2005. Chapter 6: Content areas. *Effective early childhood programs: Turning knowledge into action.*

2. McQuillan, J. 1998. *The literacy crisis: False claims, real solutions.*

3. Hart, B. and T. R. Risley. 1995. *Meaningful differences in the everyday experience of young American children.*

¡SEA HONESTO CONSIGO MISMO!

En este cuadro Ferdinando está haciendo lo que él quiere hacer, aunque la gente realmente quisiera que él luchara contra los toreros. Ferdinando está contento y más interesado en oler las flores en el cabello de las señoras encantadoras que en luchar.

¿Qué te gusta hacer?

Como una manera de ampliar el aprendizaje de *El Cuento de Ferdinando,* invitamos a usted que hablar con un niño en su vida sobre algo que le encanta hacer. No importa si a otros les guste esta actividad, solo es importante que le guste al niño, igual que a Ferdinando le gustaba sentarse calladamente oliendo las flores.

Esperamos que esto lleve a una nueva conversación con un niño o niña jóven sobre sus sueños para el futuro.

Por favor visite www.readfortherecord.org para compartir la historia de su hijo y para leer historias inspiradoras de todas partes del mundo!

El Cuento de

FERDINANDO

Por Munro Leaf

Illustracions de Robert Lawson

VIKING

VIKING

Published by Penguin Group

Penguin Young Readers Group, 345 Hudson Street, New York, New York 10014, U.S.A.

Penguin Group (Canada), 90 Eglinton Avenue East, Suite 700, Toronto, Ontario, Canada M4P 2Y3

(a division of Pearson Penguin Canada Inc.)

Penguin Books Ltd, 80 Strand, London WC2R 0RL, England

Penguin Ireland, 25 St Stephen's Green, Dublin 2, Ireland (a division of Penguin Books Ltd)

Penguin Group (Australia), 250 Camberwell Road, Camberwell, Victoria 3124, Australia

(a division of Pearson Australia Group Pty Ltd)

Penguin Books India Pvt Ltd, 11 Community Centre, Panchsheel Park, New Delhi – 110 017, India

Penguin Group (NZ), 67 Apollo Drive, Rosedale, North Shore 0745, Auckland, New Zealand (a division of Pearson New Zealand Ltd.)

Penguin Books (South Africa) (Pty) Ltd, 24 Sturdee Avenue, Rosebank, Johannesburg 2196, South Africa

Penguin Books Ltd, Registered Offices: 80 Strand, London WC2R 0RL, England

First published in 1936 by The Viking Press
This special edition published in 2007 by Viking, a division of Penguin Young Readers Group

1 3 5 7 9 10 8 6 4 2

The Library of Congress has cataloged the previous edition under catalog card number: 36-19452   Pic Bk
This edition IBSN 978-0-670-06308-6

Manufactured in China

H abía una vez en España

un torito que se llamaba
Ferdinando.

Los demás toritos que vivían
con él corrían, brincaban y se
daban topetazos,

pero Ferdinando no lo hacía.

Le gustaba sentarse

tranquilamente

a oler las flores.

Tenía un lugar preferido en la pradera, debajo de un alcornoque.

Era su árbol preferido y el torito se pasaba el día a la sombra, oliendo las flores.

15

A veces su madre, que era
una vaca, se preocupaba por
él. Pensaba que Ferdinando
se sentía solo.

—¿Por qué no corres y juegas
a saltar y darte topetazos con
los otros toritos? —le decía.
Pero Ferdinando negaba
con la cabeza y respondía:
—Prefiero quedarme aquí
donde puedo sentarme
tranquilamente a
oler las flores.

19

Su madre se dio cuenta de que él
no se sentía solo y como era una
madre comprensiva, aunque era una
vaca, dejó que se quedara bajo el
alcornoque y fuera feliz.

21

Con el paso de los años,
Ferdinando creció y creció
hasta que se convirtió en un
toro grande y fuerte.

FERDINAND
2 years

FERDINAND
1 year

3 MONTHS

1 week

RL

Los demás toros que habían
crecido con él en la pradera
se pasaban el día peleando.
Se embestían unos a otros
y se daban cornadas. Lo que más
deseaban era ser escogidos para pelear
en las corridas de toros de Madrid.

Pero Ferdinando no quería eso.
Todavía le gustaba sentarse
tranquilamente bajo su
alcornoque a oler las flores.

Un día llegaron cinco hombres

con sombreros muy raros

para escoger al toro más

grande, más veloz y más bravo

para las corridas de toros

de Madrid.

RL

Los demás toros corrieron de aquí para allá bufando y embistiendo, saltando y brincando para que los hombres creyeran que eran muy fuertes y bravos…

y los escogieran.

31
RL

Ferdinando sabía que no lo iban a escoger y en realidad no le importaba. Así que se fue a sentar bajo la sombra de su alcornoque preferido.

33   RL

Pero no se fijó y, en vez de sentarse sobre la hierba tierna y fresca, se sentó sobre un abejón.

Si tú fueras un abejón y un toro
se sentara sobre ti, ¿qué harías?
Lo picarías, ¿verdad? Pues eso fue
exactamente lo que hizo
este abejón.

¡Caramba! ¡Qué dolor! Ferdinando brincó y dio un bramido. Corrió en círculos resollando y resoplando, embistiendo y pateando la tierra como un loco.

Los cinco hombres lo vieron
y gritaron de júbilo. Ese era el
toro más grande y más bravo de
todos. ¡El mejor para las corridas
de Madrid!

Entonces, se lo llevaron en una carreta para el día de la corrida.

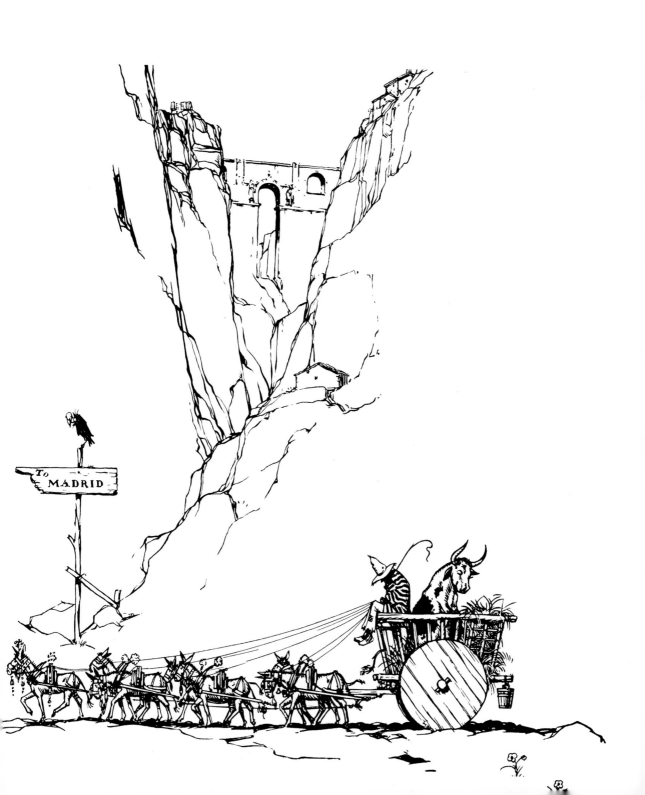

To MADRID

¡Qué gran día! Las banderas
ondeaban, la música sonaba…

y todas las bellas señoritas

llevaban flores en el cabello.

Todos entraron desfilando a la arena de la plaza de toros.

49

Primero salieron los banderilleros
con unos palos puntiagudos,
adornados con cintas, para pinchar
al toro y enfurecerlo.

Después salieron los picadores,
montados en caballos flacos,
llevando largas lanzas para picar al
toro y enfurecerlo aún más.

Luego salió el matador, el más
arrogante de todos. Se creía
muy guapo y saludó a todas las
señoritas con aires de gran señor.
Tenía una capa roja y una espada, y
era el que tenía que darle al toro la
estocada final.

Por último, salió el toro. ¿Y a que
no adivinas quién era?

—Ferdinando.

Lo anunciaron como Ferdinando,
el bravo. Todos los banderilleros y
los picadores estaban asustados. Y
el matador se quedó
paralizado de miedo.

Ferdinando corrió al centro de
la arena, y todos gritaron y
aplaudieron porque pensaban que
iba a pelear ferozmente, resoplar
y embestir a medio mundo.

Pero Ferdinando no lo hizo.
Cuando llegó al centro de la
arena y vio las flores que las
hermosas señoritas llevaban en
el cabello, todo lo que hizo fue
sentarse a olerlas tranquilamente.

Por más que lo provocaron,

no quiso embestir ni dar cornadas.

Se quedó sentado, en medio de

la arena, oliendo las flores. Los

banderilleros estaban furiosos,

y los picadores estaban todavía

más furiosos. El matador estaba tan

furioso que se puso a llorar porque

no pudo hacer alarde con su capa y

su espada.

65

Así que no les quedó más
remedio que llevar a Ferdinando
a su casa.

Y según cuentan, allí está
todavía, debajo de su alcornoque
preferido, oliendo las flores
tranquilamente.

Y es muy feliz.

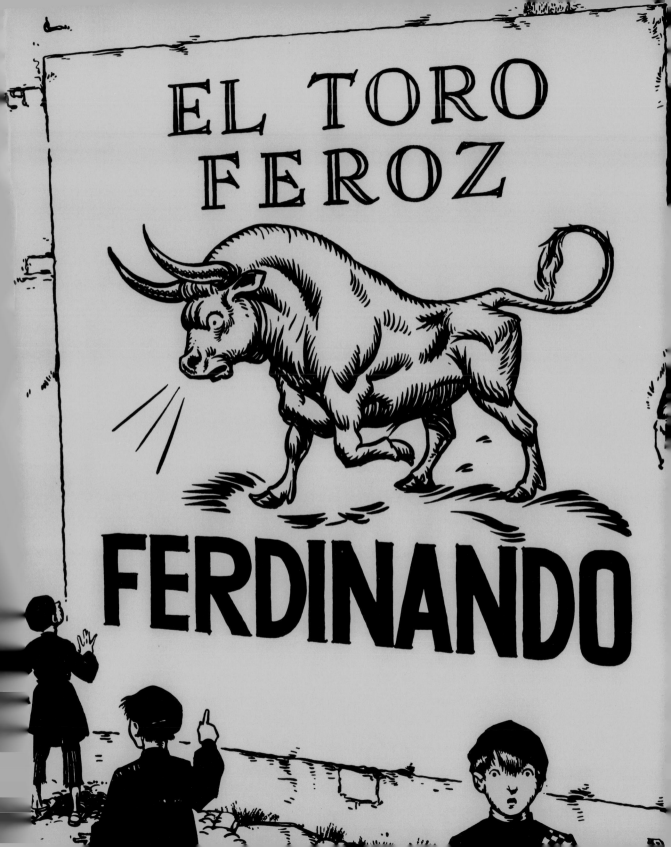

FIN